Première édition © 2003 Uitgeverij Clavis Amsterdam-Hasselt, Belgique
sous le titre *Rikki en zijn vriendjes*
© 2003 Uitgeverij Clavis Amsterdam-Hasselt pour le texte et les illustrations.
Tous droits réservés.

Pour l'édition française : © 2004 Éditions MILAN – 300, rue Léon-Joulin, 31101 Toulouse Cedex 9 – France
Droits de traduction et de reproduction réservés pour tous les pays.
Toute reproduction, même partielle, de cet ouvrage est interdite.
Une copie ou reproduction par quelque procédé que ce soit, photographie, microfilm, bande magnétique, disque ou autre,
constitue une contrefaçon passible des peines prévues par la loi du 11 mars 1957 sur la protection des droits d'auteur.
Loi 49.956 du 16.07.1949
Dépôt légal : 1er trimestre 2004
ISBN : 2.7459.1276.3
Imprimé en Italie

Benji
et ses amis

Guido Van Genechten
Traduction d'Étienne Schelstraete

MILAN jeunesse

C'est la fin de l'été.
Les journées sont de plus en plus courtes.
Et les feuilles des arbres commencent à jaunir.

Comme tous les soirs, Benji
va jouer dans la clairière.

C'est là que se retrouvent
tous les petits lapins de la forêt.
Il y a le groupe des lapins blancs.
Celui des lapins noirs, des lapins gris...
Chacun rejoint les siens...
Sauf Benji, qui préfère participer
à tous les jeux.
Avec tout le monde.

Les lapins blancs jouent au jeu des carottes.
C'est Benji qui gagne.
Même à cloche-patte, la carotte ne tombe pas !

Chez les lapins gris, Benji fait l'avion.
Mais... attention à l'atterrissage !

Le saute-lapin est le jeu préféré des lapins bruns.
Hop, hop !
C'est rigolo, mais fatigant !

Les lapins noirs jouent au petit train.
Et ce soir, c'est Benji la locomotive !

Le lendemain, c'est une fois encore le grand rassemblement dans la clairière.
Mais là-bas, sous un arbre, un petit lapin reste tout seul.
C'est un nouveau : un lapin blanc avec des taches...
Qui voudra bien de lui ? Les blancs, les gris, les bruns, les noirs ?

Benji, toujours curieux et accueillant, le rejoint.
– Salut ! Je m'appelle Benji. Et toi ?
– Moi, c'est Maxime, dit le nouveau.
– Viens jouer avec nous ! lance Benji.
– Mais je ne connais personne... dit l'autre
d'une petite voix. Et puis... je ne connais pas vos jeux.
– Ça ne fait rien ! dit Benji. Je vais te montrer !

Pour commencer, Benji explique à Maxime le jeu des carottes.
Une carotte sur la tête... Et hop, c'est parti !
Facile, non ?

Puis vient le tour de Maxime.
Une carotte sur la tête, et... Oh ! là, là !
Pas si facile que ça, finalement !

– Et si on jouait aux galipettes farceuses ? propose Maxime de sa petite voix.
– Les galipettes farceuses ? Qu'est-ce que c'est ? demande Benji.
– C'est très simple, explique Maxime. Tu fais trois galipettes à la suite,
puis tu te relèves très vite et tu souffles sur ta patte en tirant la langue
et en faisant « PFFFFTTT ». Comme un ballon qui se dégonfle !
C'est trop drôle : les deux petits amis éclatent de rire.

Leurs rires ont attiré tous les autres petits lapins.
– Je vous présente Maxime ! s'écrie Benji.
– Maxime ! lance un grand lapin. Drôle de nom !
– Et ces taches ? crie un autre. Il ne se lave pas, ton copain ?
Tout le monde éclate de rire. Sauf Benji.
Et Maxime, évidemment.

– Arrêtez ! crie Benji. Mon copain,
il connaît un super-jeu !

– Ah oui ? demande le grand lapin. Et lequel ?
– Euh… répond Benji. C'est un peu compliqué…
Je vais vous expliquer…

« D'abord, on met une carotte sur sa tête, puis on fait l'avion, puis on fait le train, puis on fait trois galipettes. Et quand tout est fini, on souffle tous sur nos pattes en tirant la langue et en faisant "PFFFFTTT". Comme un ballon qui se dégonfle ! »

Grâce à Benji, tous les petits lapins se rassemblent dans la clairière et se mettent à jouer ensemble. Les blancs, les gris, les bruns et les noirs... et même Maxime, avec toutes ses taches bizarres. Vive le nouveau venu !